따뜻한 오후 시 한잔

따뜻한 오후 시 한잔

이지영

문효진

이구

정명진

곽윤

이필재

주숙경

소심한 작가 글마녀

이세원

김민희

차 례

겨울에 피어난 프리지어

이지영

자아 • 보이지 않는 가시 • 빈자리 • 나만의 세상

갈망 • 속도 • 자화상 • 고요한 아침 • 새벽인사 • 무지개

이지영

저자는 어린 시절부터 완벽주의 성향이 강해 불안감이 다른 또래에 비해 높은 편이었다. 청소년기에는 누구나 가지고 있는 불안이라 생각했고, 20대 중반부터는 불안감을 소거하기 위해 글 쓰는 것을 취미로 가졌다. 우연히 작성한 시를 통해 스스로가 치유되고 있다고 느꼈으며, 그 후부터는 시를 통해 내면과 마주 보는 연습을 하였다. 저자는 현재도 불안의 기조와 해소 방법, 진정한 행복은 어디서 오는지 시를 통해 깨닫는 중이다.

저자의 시 제목에 들어가는 '프리지어'의 꽃말에는 "당신의 시작을 응원해요"라는 뜻이 내포되어 있다. 이 시를 읽는 당신의 새로운 시작을 밝은 별빛처럼 힘차게 응원한다.

블로그: blog.naver.com/01jy04

자아

꽉 막힌 터널처럼 앞날이 어둑하여
빛이 보이지 않을 것만 같아도,
세상 숨이 멎을 거처럼 달릴 때
나 혼자 제자리에 멈추어 있는 거 같아도,

괜찮아, 그 또한 나니까

내일 아침이 영원한 저녁처럼 어두워도
내일 햇빛이 뾰족한 송곳처럼 따가워도

괜찮아, 그 이상도 이겨낸 나니까

보이지 않는 가시

내 마음속을 찌르던 오래된 가시가
지나가는 세월처럼
봄이 오면 사라질 줄 알았다

추웠던 겨울이 지나가고
새로운 봄날이 찾아온 그때는
가시가 사라진 줄 알았다

따스한 햇살이 비춰주니
깊숙이 숨겨져 있던 가시는
어느새 상처로 남아 고개를 빼꼼 들어 인사한다

아프게만 느껴졌던 가시는
결국엔 내 몸 어딘가에 남아있을
보이지 않는 작은 흉터에 불과했다

빈자리

단단하게 뭉쳐있는 너의 모습은

어루만질 수 없을 정도로 차가워 보였다

단단했던 모습이 따스한 시선에 어느새 녹아버리고

이 세상에 존재하지 않았던

깨끗하게 사라진 눈처럼

또 다른 날을 위하여 애쓰는 너의 모습

내 마음속에 남겨진 잔상을 꺼내 보니

너의 빈자리가 그리웠다

다시 돌아온다면

이번에는 내가 먼저 다가가 만져볼 수 있을까?

나만의 세상

누구도 찾아오지 않는 작은 방안에 갇혀
빛 한줄기 들어오지 않는 이 밤이 무섭습니다

어제는 내일의 캄캄한 아침이
나를 깨울까 무서웠는데
이제는 오늘의 소리 없는 어둠이
나를 감싸 안을까 무섭습니다

용기를 내어 막막한 어두운 방에서 나오면
밝은 아침을 맞이할 수 있을까
어린아이처럼 설렜지만,
혼자 남은 이 방이 어두워 무섭습니다

자고 일어나면 아무것도 없는
나만의 세상에 갇혀 있을까 무섭습니다

갈망

네가 생각하는 배부름은 무엇인가
네가 생각하는 행복은 무엇인가
돈, 명예? 아님 사랑인가?
우리가 같이 살아가는 이 삶 속에서
서로가 느끼는 배고픔은 왜 이리 다른가

나 하나로도 이 세상을 다 가진 듯
행복하다고 말해주는 너에게
나는 계속 목마름을 해소해달라 갈구한다

같이 살아가는 우리는
무엇 때문에 이리 다르게
갈망을 느끼는가

속도

맞춰 걸어가는 우리 발걸음에
깜빡거리던 신호
찰나의 그 반짝이던 한순간

너는 앞으로 한 발짝
나는 뒤로 한 발짝
우리는 그 자리 그대로

있는 그 모습에 충분함을 느끼며
살아가고 싶은 생각과는 다르게
내 안에선 화려한 꽃이 피어날 준비를 하고 있다

우리의 꽃봉오리를 피워낼 내일을 위해
나는 다시 한번 그 자리, 그곳에 머문다

자화상

숨겨둔 가면 속 내 진짜 모습
나는 욕심이 많고 이기적이다

누가 수군거리지 않을까
누가 쳐다보지는 않을까
가면 속 모습과 마주 본 나는
한없이 초라해져 버린다

성난 파도도 이겨내며 힘들게 버텨온 내 모습이
한순간에 무너져 내려버리는 거 같아

오늘도 나의 자화상을 마구 꾸겨보곤 한다

고요한 아침

나는 이 고요한 아침이 좋다
짹짹거리는 새소리도 없고
온전히 이 공간 속 나 혼자 존재해
나지막이 내 숨결 소리만 들리는 게 좋다

평온한 시작이 누군가의 인사로 깨지지 않고
고스란히 나의 몸짓, 손짓으로
채워지는 이 고요한 아침이 좋다

나로 꽉 채워지는
고즈넉한 아침을 맞이하고 싶다

새벽인사

이른 아침 무거운 발걸음을 떼어
한 걸음 한 걸음 걸어 나오니
살랑거리는 선선한 바람이 나의 콧날을 스쳐간다

더딘 발걸음에 반갑다는 듯이
화사한 새벽인사가 나의 손길을 잡아준다

하루의 시작이 두려워 주저앉았던
나를 일으켜 세워주니 속마음이 간질거리는구나

너의 작은 스침 하나로
두렵지 않은 하루가 시작되었다
너의 작은 인사 하나로
나로서 온전히 살아가게 되었다

무지개

붉은 석양 하늘 위에 펼쳐진
광활한 무지개 하나

어린 시절 할머니와 함께 봤던
긴 무지개 하나는 참으로 따뜻했다

모래성 위에서 깡충깡충 애써봐도
두 손으로 쥐어지지 않았는데

타오르는 석양 속
다시금 마주친 너의 모습은
따스러운 존재가 되었다

그날의 반짝이는 너의 눈길 한번은
내 마음속 한켠에 묻어두고
오늘날의 새로운 나로 다시 피어오른다

시작 노트 —✳

"겨울에 피어난 프리지어" 시작은, 읽는 여러분들과 저 자신에게 힘들 때 작은 위로가 되기 위해 오랜 시간 생각하여 한 단어 한 단어 눌러서 작성해 보았습니다. 저는 대단한 시인도, 글재주가 좋은 작가도 아닙니다. 단순히 제 내면을 알아채기 위해 끊임없이 노력하는 평범한 사람 중 하나입니다. 끝으로, 시작 노트를 통해 제가 작성한 시가 어떠한 상황과 감정에서 나왔는지 조금이나마 이해하기 쉽도록 부연 설명을 하겠습니다.

불안감이 높았던 저는, 가진 거에 만족하지 못하고 가지지 못한 거에 욕심을 내며 더 큰 성공을 갈망했습니다. 또한, 미래를 위해 현재의 즐거움은 포기해도 된다고 생각하면서 살았습니다.

시 초반에는 불완전한 저의 모습을 되돌아보고 성찰하면서, 불안감이 어디서 오는지 깨닫는 시간을 가졌습니다. 이후 사랑하는 사람을 만나, 스스로가 가진 가치를 다시 한번 생각하는 순간을 가지게 됐습니다. 마지막으로 혼자 앓고 있던 큰 불안감을 해소하고 진정한 행복이 무엇인지 깨달으며, 스스로 가둔 방에서 나와 희망찬 새로운 삶을 시작하는 전개로 시를 마무리했습니다.

제목과 시 본문을 보고, 제가 생각했던 방향과 다르게 이해하고 느껴주셔도 됩니다. 온전히 '나로서' 이 시를 이해하고 바라봐 주시면 감사하겠습니다.

나아가는 중입니다

문효진

무지개 • 아직은 • 트라우마 • 십자가 문신 • 즐거운 장마 • 흐른 자국

지는 꽃으로부터 • 불편한 지하철 • 내 작은 별에게 • 훗날 보이는 것들

문효진

작가는 심리상담센터에서 근무하였고 사회복지사로서 사람과 세상을 공부하고 있다. 또한 자신을 개방하여 토론하듯 이야기하는 것을 좋아한다. 아주 가끔은 다른 누군가의 목소리를 대변할 때도 있다. 괜찮은 척하는 누군가의 마음을 알아주는 것만으로도 위로가 될 테니까. 괜찮지 않은 마음을 교감하고 담담하게 글로써 전하는 아나운서가 되고 싶다.

이메일: gywls3401@naver.com

무지개

오랜 비에 젖어 우중충한 하늘을
닮아버린 사람들이었습니다.
그들의 눈에 무지개가 비친 특별한 순간을 보았습니다.

어린아이는 그림으로 보았던 미지의 세계를
눈에 담을 수 있기에
엄마는 손잡고 있는 이 작은 아이의 웃음을
간직할 수 있기에
택배기사 아저씨는 지친 일상에 잠시나마
황홀한 시간을 선물 받을 수 있기에
할머니는 얼마 살지 못하는 날 중
가장 아름다운 하늘로 기억할 수 있기에

나는 오랜만에 하늘을 바라본
사람들의 웃음을 볼 수 있음에

화창한 날보다 눈부셨던 그날의 무지개에게
감사합니다.

아직은

밤공기가 편안하다
해와 달의 걸음걸이도 빨라진다
뜨거운 여름이 서서히 식어간다

매미는 가고 귀뚜라미가 운다
달라진 울음소리에 이끌리듯
창밖을 내다보면
뙤약볕을 먹고 사는 우거진 녹음 빛
아직은 푸릇한 기세가 선명하지만

나는 알 것 같다
그 이상의 열기를 필사적으로 내뿜고
또 한 번의 사력을 다하고 나서야
비로소 물들 것임을

트라우마

새까맣고 통통한 너의 기다란 다리가 싫다
어디에서 뛰어오를지 알 수 없는
적막함에 숨이 가빠진다
귀뚤대는 노랫말은 어릴 적 친구의
빛바랜 사진처럼 울어댄다
너의 모습은 볼수록 기이하고 볼 때마다 낯설구나
너는 기척을 감추려 죽은 듯이 침묵할 때도
가만히 멈춰선 너를 보며 기겁하고 도망간다

이제는 그림자에도 소름이 돋는다
그림자가 걷히고
나뭇가지였음에 허탈하게 웃음 지어도
놀란 가슴 멈출 길이 없어
바스락거리는 낙엽조차 두렵구나

보이지 않는 너를 끄집어내는 상상으로 밤을 지새운다
새벽빛 줄기가 문틈 사이로 스며들지만
결국 너를 마주할까 봐 난 집에 있으련다
창밖은 화창한 세상 속으로 초대장을 내밀지만
오늘도 난 너로 인해 새 신을 신고 문을 걸어 잠근다

십자가문신

나는 신으로부터 도망쳤다
나를 찾을 수 없는 사막 한가운데로

우연히라도 보게 된다면
나는 다시 땅굴에 들어가
빨간 꽃이 될 수 없겠지

혹시라도 뱀을 보더라도
나는 물 하나 그늘 하나 없는 곳에서
꽃을 피울 테야

그러니 나를 막지 마시오
내 손에 묶인 언제였는지도 모를
오랜 끈을 그만 풀어주시오

태어나기 전부터 정해진 운명이라면
그 끈을 끊는 대신
예쁜 꽃을 엮어 줄을 만들고
낡은 십자가에 두를 테요

내가 볼 수 없는 곳에

그 십자가를 새겨놓을 테니

바라온 땅을 찾을 수 있도록

당신의 하얀 새를 보내주시오

즐거운 장마

여름날 비바람이 차다
내딛는 한걸음이 무거워 무심코 뒤를 돌아보면
하얀 설경 위에 찍힌 발자국이 그렇게 선명하다

목적지가 없는 길
머물다 간 흔적조차 없는 빈집
나는 그곳에서 무엇을 기다려야 하는 걸까

우는 아이의 목소리가 희미하게 들려온다
그리운 냄새도 바람이 왔다가 가져간다
회색 얼음이 녹아 땀방울을 이루고
가득한 습기에 올라온 땅가시가
굳이 나를 쫓아와 괴롭힌다

얼어붙은 몸이 녹아 어지럽다
너무 초록한 나무에서 기쁜 소음이 가득하다
좋아하는 시멘트 곰팡이가 아쉽게도 말라간다
눈이 부셔 커튼을 쳐도 기어이 헤집고 들어온다

쓸데없이 밝다

하는 수 없이 벌건 눈을 감아야겠다

흐른 자국

코끝이 아려옵니다
빨개지고 아파져도 도도함을 잃지 않습니다
터지기 전에 멈춰 줄 바람을 기다려봅니다
슬픔을 삼키기엔 빈자리가 없어
눌러 놓았던 다른 슬픔까지도 건드려진 모양입니다
검은 물이 흐릅니다
눈언저리에서 한참을 고이다가
화장이 다 번지도록 참고 있었다가
맑았던 물이 검은 물이 되어 흘러넘칩니다
두 뺨에 검은 물이 흐릅니다
물길이 난 자리에 감춰 온 민낯이 드러납니다
꼼꼼하게 가려왔던 참지 못한 마음이 보입니다
고통 섞인 슬픔이 무섭게 노려봅니다
검은 물은 이내 땅에 떨어지고
여러 갈래로 흩어집니다
그제야 주저앉아 속에 담아 둔
가득한 물을 흘려보냅니다
밑바닥 응어리마저 쏟아붓고 나서야
뒤늦은 바람이 불어옵니다

어쩌면 바람은 부서진 눈물을

가져가기를 기다렸을지도 모르겠습니다

지는 꽃으로부터

시들어가는 제 잎을 보며
당신은 마냥 기쁠 수가 없겠지요
말라가는 잎사귀를 되돌릴 수 없다는 것을 알기에
살고 싶은 마음으로 기도하지 않았습니다

다만 한가지 소원이 이루어질 수 있다면
그대의 기억 속엔 내가
가장 아름다운 꽃으로 남길 바랍니다
그 바램으로 잎사귀 하나 떨어졌을지언정
나는 나의 색으로 여전히 빛이 나고 있어요

시듦에 대한 당신의 염려를 걱정합니다
제 생명줄을 끊으려는 당신의 손길을 이해합니다
물을 주지 않아도 아직은 버틸 수 있습니다
당신이 보는 마지막 순간까지 아름답길 바랄 뿐입니다

불편한 지하철

지하철 안을 깨우는 불협
반복된 몸짓, 반복된 소리
슬픔도 웃음으로 말하는 너

오늘은 피하고 싶었다, 월요일 아침이었으니까
하지만 나의 침묵이 너에게 닿을 리가 없다
가까이 오는 불편한 실루엣
나는 한 걸음 두 걸음 침묵을 찾으러 벗어났다
이내 다른 칸으로 넘어갔다

두 번째 적막함을 뚫고 그가 왔다
여전히 지저귀는 새가 반가울 리가 없다
무거운 책가방을 꾸역꾸역 짊어지고
피곤하지 않은지 피곤한 법을 모르는지
너는 너의 세상에서 열심히 살아내는구나
그에게서 한 걸음 두 걸음 멀어지는 것이 보였다
지나치게 밝은 너의 자리는 여기에 어울릴 리가 없다

세 번째 오늘도 장애를 가진 학생이 들어왔다

일어서 있었던 그가 하필 내 옆으로 앉았다
나는 멈췄고 눈을 감았다
손과 발은 머무름을 선택했다
미간은 찌푸려짐을 거부했고
앙다문 입술은 경직됨을 포기하기로 했다

여기에 있는 일반사람들처럼
너도 다른 세상이 아닌 다른 사람일 뿐
이 지하철에서 함께 있을 수 있다는 것을
사람들에게, 침묵을 지키는 공기에게
어색하지 않은 척하는 나에게
알려주고 싶었다

내 작은 별에게

네가 아직 소망일 때
세상에 존재하지 않았을 때부터
어린 농부의 사랑을 담아 기도했단다

그리고 기뻐했단다
너의 소식을, 기다려왔던 작은 별을
설레었지, 그리고 또 기도했단다
나의 불안이 너에게 닿지 않기를
너는 너인 채로 자라달라고
욕심 없이 그저 너로 만나게 해달라고

비록 비옥한 땅은 아닐지라도
급하게 거름을 주었고
맑은 물을 부었으며
익숙지 않은 사랑의 언어로
작은 씨앗이 새싹으로 돋아나기를
뿌리를 뻗어내는 고통도 즐거워했단다

잊지 않았으면 좋겠구나
꺼져가는 반짝임을 품은 채로

여전히 거름을 주었고
가물어진 땅에 물을 부었으며
눈물로 사랑을 속삭였단다

끝내 반짝임은 멈췄고 너는 길을 잃었구나
아픔을 품고 새롭게 땅을 일구어볼게
슬픈 농부의 손으로 낙엽을 쓸고
잡초를 뽑아내어 미소로 기다릴게

조심히 돌아오렴
내 작은 별아

훗날 보이는 것들

삶의 끝자락을 걸어가는 이에게 삶이란 무엇일까

고달팠던 인생길에 희망을 마주할까
욕심조차도 평범함을 내쫓을까
조심했던 것도 무색한 삶
하늘에 원망하고 땅에 한탄한 후
죽음 앞에 모든 기억을 꺼내어 펼쳐보니
이제야 보이는 것이 있다고 그는 말했다

실패는 작은 성공이었고
가난은 모든 것을 귀히 여기게 했으며
불행은 행복하기 위해 스며든 찰나의 고통이었다

고독은 나를 온전케 하고
이별은 추억이란 이름으로 함께했으며
배신은 해로운 것을 걸러냈을 뿐이었다

고통도 강인함을 가져다주었고
미움도 사랑의 반대말이었으며
억울함마저 나에겐 떳떳했다는 증거였을 터

인생을 정리하는 이에게 삶이란

모든 날이 감사했음을 먼 훗날 알게 되는 것이라고

그는 말했다

시작 노트 —✳

2023년 어느 날, 지나간 사람들 혹은 나,
내가 본 어떤 순간에 감정을 담고 느낌을 담고
생각을 담아서 시를 엮어낸다.
슬픔이 주는 여운도 소중했던지라 작품 하나하나에
화려한 꾸밈새보다 온전한 마음을 쏟아내는 데 집중한다.
마침표를 찍고 다시 읽어보면 처음과는 다른 모양으로
흘러가는 마음을 발견하게 된다.
시의 분위기가 전반적으로 어둡게 느껴지기도 하지만
슬픈 시보다는 치유와 회복에 대한 시에 가깝다.
고통의 민낯을 드러내야 회복으로 나아가는 다음 단계를
건널 수 있음을 시를 쓰면서 새삼 느끼게 된다.
무지개 하나로 어린 아이처럼 순수해지는 사람들,
장애인을 포용하는 인식의 시작점,
유산의 아픔을 극복하고 아이를 기다리는 엄마의 마음,
혹은 트라우마를 이기기 위한 기로에 매 순간 서는 사람들,
나아가는 중이거나 낫기를 바라는 마음을 카메라 렌즈에
담아내듯 초점을 맞춰본다.

추신. 그 지점에 서 있는 모든 사람을 응원합니다.

언덕위에 핀 꽃

이구

낙원 • 바람길 • 검은새 • 상수리나무 말하다. • 나무의 마음

복나들 문 • 겨울나기 • 밤손님 • 감격의 순간 • 텃밭

이구

대전 유성출생, 군 32년 복무후 귀향하여 과수원하며 배움과 창작활동에 관심을 갖고 활동 중 입니다. 자연과 농촌 주변의 소재를 친근감있게 표현하여 마음의 안식과 일상의 소중함을 일깨워 주고 자신의 진정한 가치를 실현하고자 한다.

이메일: nwuguya@daum.net

낙원

그리던 고향의 산은 자두나무를 덮고
오얏꽃은 해마다 피어나 눈이 부시게
희망이 되었다.

하늘은 값없이 비를 내리고
농부는 쉼 없이 산을 오른다.

두 계절을 지나쳐 빨갛게 익고
주름진 농부의 입안 가득히
새콤달콤 맛과 향이 진하다.

누가 뭐라고 하든 너여서 고맙다.
이것이 사는 거지
이것이 좋은 거지

아직도 산 아래 저 멀리 귀한님들은
예전에 내 그랬듯
황홀한 맛을 모를 것 같구나 !

바람길

쪼개어낸 산길 따라 걷는다.

그 아픔을 갚는 양 숨차게 하는 이 길

과수원 지나 솔밭으로 이어져 있다.

오르다 돌아보면 아무도 없다.

다만 건너편 골짜기, 산이 보일뿐

언젠가 바람이 옆을 지나며 "쉬어가세요"

말을 걸었다.

바람도 이 길을 오가며 힘든가 보다.

찾는 이 없던 산길은

자연스레 말동무가 되고

바람은 그렇게 길동무가 되었다.

이젠 오르다 내리다 셋이 만난다.

땀도 닦고 이야기도 나누고

이름 하나 지어 줘야겠다.

바람길 이라고 하면 어울리겠다.

검은새

온종일 이름도 모를 산새들이
과수원 주위를 빙빙 돈다.

어디서 왔을까?
빨갛게 익은 자두만 교묘히 공격한다.

언제나 뒷북이다.
여기저기 부상병처럼 상처나 부글부글

훠이훠이 물러 서거라.
소리도 지르고 돌맹이도 던져 보고

절반은 네가 먹고 절반만 바구니로
어차피 같이 먹고 같이 사나?
그물을 쳐야지, 약이라도 놔야지
망연자실 한탄이 절로난다.

절반은 남겨주어 고맙구나!
아는지 모르는지
새들은 노래뿐 저 멀리 날아간다.

상수리나무 말하다.

한적한 이곳에도 소식은 온다.
기쁜 소식이야 처마에 걸면 그만이지만
슬픈 소식은 상념으로 아프다.

산새 소리마저 시끄럽고
이웃의 강아지 소리도 크다.
이럴 때면 지팡이가 묘약이다.

산모퉁이 돌아서면
줄기는 하늘 찌를 듯
가지는 온산 덮을 듯
서있는 할머니, 할아버지 나무

두툼한 옷을 입고 두 팔을 저으며
그래 또 무슨 고민이 있나? 말 건넨다.
아무 일 없어요. 응얼거린다.
정말 다 알고 있는 것 같다.

마을에서 가장 오래됐다고

그래서 그런지

두 나무 사이로 들려오는 소리가 예사롭지 않다.

나무의 마음

늦가을 새로 심은 어린 나무들
마을 어귀부터 집 앞까지
고춧대에 묶여 일렬로 섰다.

이 마을로 온지도 몇 해가 지났다.
서먹서먹하던 이웃도
이제는 넋두리를 나눌 정도는 되었다.

마을 사람들은 가위로 위로부터 아래까지
사정없이 나무 깃털을 자른다.

모진 겨울을 어찌 견딜까?
새벽 찬 서리에 나무들은 떤다.
오리길 오가면 마음이 무겁다.

늦가을 새로 심은 가여운 나무들
봄이 오면 괜찮겠지
모두 살아나겠지

한 시절 이기면 꽃이 필거야

길 따라 꽃이 피면

그때는 나무들도 내 마음 알겠지

복나들 문

시골집 대문은 두꺼비집
아기자기 골목길에 마주보고 서서
어서 오라는 듯이 열려있다.

오고가는 정(精)의 통로
일가친척 따로 없이
인사를, 음식을 나누고
기쁨과, 슬픔도 나눈다.

활짝 열린 문 마다
이사 떡을 돌리니
떡을 받아들고
언제든 오시라

거창한 글귀는 없어도
솟을 대문 아니어도
복이 오간다.

시골집 대문은 열려있어 마냥 좋다.
장독대 옆 강아지도

아슬랑 고양이도

이견이 없다는 듯 초롱초롱 하다.

겨울나기

서리가 내릴 쯤 비워둔 단지에
한가득 배추를 담는다.

강아지는 양지바른 담 밑에 누워
연신 하품을 해 댄다.

샘가에 씻다만 대파와 쪽파는 물이 넘치고
아침부터 이웃 아낙은 채썰기에 바쁘다.

통 가득 따로 담아 둔 뒤에야
할멈은 비로소 만족한다.
한통은 큰아들 다른 통은 작은딸

배추김치, 물김치, 무우 척박지
봄까지 밥상을 채워줄 먹거리

잘 익은 김치는 인생
갈수록 맛도 깊고 쓰임도 많다.

속베기 뜯어내어 수육에 말아 본다.

할아범은 손들어 엄지 척 미소다.

김장이 끝나야 한해가 온다.

밤손님

산울타리 유독 처진 곳으로
얼마나 드나들었는지
번지르르 길 나있다.

개간해 놓은 밭은 폭탄 맞은 듯
산 길가도 무너져 버렸다.

어두워지면 오나보다.
오늘은 산소 밑도 파놓았다.
안됐다는 위로마저 서럽다.

분노의 삽질은 힘들게 하고
올가미가 좋다 포수를 불러야
말만 무성 발만 구른다.

살기위해 그랬겠지
새끼위해 그랬겠지
여기는 오지마라

벌써 몇 일째

산 아래 사람들도 술렁인다.

또 밤이 무섭다.

감격의 순간

핏빛의 드넓은 가을하늘 그림은
우연히 마주한 명작이요
온 세상과 구름을 동색으로 물들인 정복자 같다.

이제야 보게 되다니
감동과 탄성의 환호성
찰나의 시간이 너무나 아쉽다.

긴 하루 이긴 승자의 전리품은
그렇게 여운을 남기고
서쪽으로 사라졌다.

혹 다시 볼까 하여
산마루에 오른다.
그러길 몇 번인가?
가을 지나 겨울로 간다.

눈감아도 떠오르는 영상
오늘도 망부석 되어
그곳에 서있다.

텃밭

마당 저편 채소공장
이제는 그 치열했던 생산을 멈추고
새벽 서릿발에 조용히 문을 닫는다.

배추며 순무며 갓이며
채소들이 싱싱함을 뽐내며
자리를 차지하고 있었는데

여러 푸성귀를 가꾸는 것도 일이다.
물도 주고 약도치고 잡초도 뽑고

봄부터 이랑고랑 만들어
거름도 내고 비닐 멀칭도 하고

너는 부담이 없는 친구
농사가 잘되어도 못되어도 그만
내 작은 찬거리 마트요, 저장고
바라만 보아도 넉넉하다.

내년엔 감자도 고구마도 심어야겠다.
많은 것을 내어주고도 바보처럼
그러자고 화답을 한다.

시작 노트 ―✳

나이 30까지는 무엇을 할까? 고민하고 또 30년은 앞만 보고 달리는 삶에서 여유란 없었다. 이제 나이 60이 되어 되풀이 되는 삶의 실수는 그만! 하지만 나이 60도 정년퇴직으로 위축되기도 하고 제2의 인생이니 뭐니 고민도 많아진다. 또한 자녀들의 사회적 진출, 결혼 문제도 부담이고 부모님이 연로하여 걱정도 쌓여간다. 무엇보다도 자신의 건강과 여러 요인으로 대인관계도 줄어드는 것도 사실이다. 이러한 시기에 자신의 삶을 스스로 성찰하고 마음의 안식을 얻는 일은 그 무엇보다도 중요하지 않은가? 다행히 마음의 평정심을 찾고 귀향을 결심하였으니 정말 천운이 아닌가 싶다. 귀향 후 많은 것이 달라졌다. 주변의 자연과 사물이 눈에 들어오고 시간이 느리게 느껴졌다. 그저 평온한 일상의 소중함 그리고 소실적 배운 미숙한 글쓰기로 모면 하려던 때에 기회가 찾아왔다. 글ego '시집출판 프로젝트'에 참여 하게 된 것이다. 어떤 시를 쓰고 싶은가?를 시작으로 창작메모 만들기를 통하여 주제와 상황, 나의 느낌을 정리하는 습성이 필요하고 시적 상상력은 대상을 관찰하고 초월하는 연습에서 나옴을 배웠다. 또한 화법과 시점을 고려하여 시를 작성함 으로써 기준을 명확히 설정해야 된다는 것도 알 수 있었다. 6주간 미션을 통하여 10편의 시를 만들고 합평을 통하여 시를 다듬고 나니 새로운 시 쓰기에 도전해 보고 싶은 열정이 스며든다. 우리시대의 영원한 스승 김형석 교수는 100세를 살아보니'내가 나를 위해서 한일은 남은게 없다'는 결론을 얻었다. 평생 사람들과 서로 위해 주고 사랑하고 산 일은 행복으로 남아 있다. 라고 행복한 나날에서 밝혔다. 자연과 인간이 어우러진 우리가 사는 세상이 더욱 아름답고 행복해 질 수 있도록 늘 배우는 자세로 시 쓰기를 계속하고 싶다. 나이 60은 이순(耳順)이라 하여 생각하는 것이 원만하여 어떤 일을 들으면 곧 이해가 되는 나이라 했던가? 과감히 펜을 들어 보자!

사랑, 이별 모두 너로 쓰였다

정명진

정명진

누구에게나 있었던 감정과 기억을 잊고 지나가는 게 아닌 글에 담아 간직하고 싶어 시를 쓰기 시작했습니다. 이 시를 읽는 분들에게도 그럴 수 있는 시가 되길 바라며 감정과 기억을 한 글자, 한 글자에 옮겨 쓰는 23년 동안 운동을 했고, 10년간 스포츠 강사라는 직업을 가진 체육인, 글쓰는꼬마입니다.

인스타그램: @ggoma_story
블로그: blog.naver.com/ggoma_record

겁쟁이

잠깐, 정지
거기서 더 다가오지 말아 줘.
따뜻한 미소로 건네는 너의 손길이
나의 마음을 자꾸 약하게 만들어.

꽁꽁 묶어둔 자물쇠를
난 아직 풀어낼 자신이 없어.
황폐해진 여기로 널 초대할 수 없고,
있는 힘껏 잡은 이 문을 놓을 수 없어.

억지로 열지 마.
여기저기 망가진 이 공간을 보고
실망하는 너의 얼굴 보고 싶지 않아.

제발 거기서 멈춰
난 더 이상 상처받고 싶지 않아.
너에게 좋은 모습만 보이고 싶어.

난 겁이 많아.
이런 나의 모습에 실망할 너를
보고 싶지 않아 도망칠 뿐이야.

가시가 핀 마음

다른 사람이 아닌 나를 봤으면 하는
그런 마음에 관심받고자 하는 말은
왜 또 그리 모진 말뿐인지.
"예쁘다." 한 마디면 될걸
왜 또 퉁명하게 "그러네."라고 하는지.

사랑한다고 전하면 되는 말을
뭐가 그리 어려워 자꾸 삐뚤게 얘기하는지.
그래서 너에게 전해지지 않는가 보다.
그래서 너는 나를 보지 않는가 보다.
아니, 그래서 너는 모르는가 보다.

몽글몽글 피어난 마음엔 자꾸 가시가 핀다.
그렇게 피어난 가시는 이리저리 굴러다니며
여기저기 상처를 내고 또 상처를 낸다.

가시가 피어난 건 내 삐뚤어진 성격 탓일까.
모진 말을 뱉는 건 피어난 가시 탓일까.

흔적

어찌 그리 급하게 갔나.
늘 옆에서 함께 걷던 사람이
그리 차갑게 식은 뒷모습만 보이며
미련 없이 떠나갔나.

어찌 그리 매정히 갔나.
걸어온 길 함께한 발자국이 가득한데
떠나는 길엔 어찌 흔적 하나 남기지 않고
가는 길 발자국도 없이 떠나갔나.

어찌 그리 쉽게 갔나.
하루하루에 쌓인 추억이
사계절 모든 시간에 있거늘
왜 그리 모질게 떠나갔나.

어찌 그리 갔나.
나와 함께 만들던 계절은 버려두고,
이제 다른 이와 새로운 계절을 만드네.
왜 여기가 아닌 그리로 떠나갔나.

덩그러니

어디선가 찬 바람이 불어와
내 두 뺨에 흐르는 눈물을
꽁꽁 얼려 얼음조각으로 만들어 떨군다.

머릿속 가득 휘젓고 다니는
너와 있던 모든 시간은
이따금 날카로운 칼날로 변해 날아든다.

여기저기 상처를 내며 날아드는
칼날을 잡아 품에 안아본다.
이리하면 너를 잡을 수 있을까 싶어서

발버둥 치고 목에 핏대를 세워가며
소리치고 또 소리쳤다.
보이지 않는 벽에 부딪혀 너에게 닿지 않는 줄 모르고

그저 그렇게 너에게 닿지 않는 소리가
메아리처럼 다시 내게 돌아오는
여기에 혼자 덩그러니 남았다.

울림

나지막이 멀리서 들려오는 익숙한 멜로디
네가 매일 습관처럼 흥얼거리던 음악
제목도 가사도 모르지만
익숙하게 가슴이 아려오는 작은 울림

귓가에 맴돌다
이젠 입가에 맴돌고
여전히 제목도 가사도 모르지만
나도 모르게 흥얼거리는 습관이 된 울림

가랑비에 옷 젖는 줄 모르는 듯
그 작은 울림에 물드는 줄 몰랐다.

가볍게 생각했던 울림이
이렇게 큰 파동으로 변해
내 온 세상을 울릴 줄 몰랐다.

겨울의 거리

한숨 크게 들이마시고 내뱉으니
하얀 입김이 퍼져나가며
차가운 기운이 몸을 감싼다.

두 손을 비비고, 두 다리를 동동 구르며
갈 길 잃은 두 눈동자는
인파 속을 뒤진다.

몸을 감쌌던 차가운 기운은
이런 현실을 알았던 걸까
불길한 기운이 점점 얼굴에 드리운다.

연락이 없는 너, 길 건너 다른 사람과 웃고 있는 너.
추운 기온보다 더 차가워진 시간
내뱉은 하얀 입김으로 가려지지 않을 장면을 가려본다.

계절이 왔음을

앙상한 나뭇가지 위
작은 이파리들이 고개를 들 때
봄이 왔음을 알 수 있었다.

해변의 모래사장 걸으며
부서지는 파도에 발 담글 때
여름이 왔음을 알 수 있었다.

선선해진 바람
알록달록 옷을 갈아입는 나무들을 볼 때
가을이 왔음을 알 수 있었다.

손끝이 시린 추위
소복이 쌓이는 하얀 눈을 보며
겨울이 왔음을 알 수 있었다.

계절이 왔음을 알 수 있는 것처럼
네가 내게 다가오는 걸 알 수 있다면
나에게서 떠나가는 너를 알 수 있다면
이렇게까지 아프고 힘들진 않을 텐데

닿았다.

너는 나와 두 눈을 맞추고 바라보길 좋아했다.
그래서 더 좋았다.
내가 좋아하는 너의 반짝이는 두 눈에
내가 담겨 있어서

너는 나와 손을 잡고 걷는 산책길을 좋아했다.
그래서 더 좋았다.
치열하게 지내온 하루를 따뜻한 너의 온기로
위로받는 기분이라서

너는 나와 소소한 일상을 이야기하길 좋아했다.
그래서 더 좋았다.
마음을 편하게 해주는 너의 목소리가
하루를 마무리 해줘서

그렇게 우린 서로에게 물들었다.
조금씩 조금씩 그리고 천천히
서로의 마음에 닿았다.

무채색

반복된 일상에 지쳐
온통 무채색으로 남은 나와는 다르게
늘 밝은 미소와 따뜻한 목소리를 가진
유일한 유채색인 너

너의 미소는 따뜻한 분홍색이었고,
나는 그 따뜻함에 가끔 옅게 미소를 띠었다.
너의 목소리는 밝은 노란색이었고,
나는 그 밝음에 가끔 긴장이 풀렸다.

무채색으로만 가득 차 있던 자리가
너의 그 다채로운 색으로 채워지곤 했다.

신기했다.
긴장감으로 가득한 내 세상에
네가 지나감으로 편안함이 생겨나는 게

마술 같았다.
그저 네가 지나갔을 뿐인 자리에
잃어버린 색들이 자리를 찾는 게

휴식

나 그대의 쉴 곳이 되고 싶어요.

오랜 시간 걷다 지쳐 쉬고 싶을 때
앉아 쉴 수 있는 의자가 되어줄게요.

더운 여름날 잠시 쉬어 갈 수 있는
큰 나무 그늘이 되어줄게요.

바람이 부는 겨울날 따뜻하게 쉴 수 있는
포근한 집이 되어줄게요.

그저 한 번쯤 지나가다 들려 잠시 머물러 쉬어 가요.

나는 그저 이 쉼터에서 그대가 조금이라도 쉴 수 있다면
조금이라도 그 힘듦을 내려놓을 수 있다면 충분해요.

쉼 안에서 편안해진 그대의 얼굴을 볼 수 있게
내가 그대의 쉴 곳이 될 수 있게 해줘요.

너와 함께했던 사랑과 이별을 시에 담았다.
사랑은 추억으로 두고, 이별을 삼키며
이 짧은 시에 너를 담았다.

꼬리 시(詩)

사랑, 이별 모두 너로 쓰였다.

사랑했고 그렇게 우린 이별했고,
나의 시는 모두 너로 쓰였다.

과거의 상처 속 두려움에 빠져 다가오는 너를 거부했고,
그럼에도 너의 따뜻함에 난 사랑에 빠졌다.

사랑하는 동안 모든 세상은 달라졌고,
달라진 세상에 홀로 남겨지며 이별했다.

이별한 뒤 잊지 못했다.
사랑했던 순간도, 이별했던 순간까지도

잊지 못한 사랑은 미련이었고,
잊어야 다시 사랑할 수 있음을 깨달았다.

난 그렇게 너로 쓴 시에 너를 담아 보낸다.

그래도 사랑은 나리고

곽 윤

가시나무 • 눈물샘 • 빈틈 • 소국 • 어쩌면

우리 • 열병 • 당신의 발자욱 • 벚꽃 • 고백

곽 윤

삶을 살아오며 견뎌왔던 감정들을 꺼내는 연습을 하고 있습니다.

언젠가는 보는 입장에서도 온전히 느낄 수 있는 글을 쓰고 싶은 사람입니다.

가시나무

청록빛 잎새 저물어가고
녹갈색 낙엽 스러져가던
이별의 계절

무엇이 내게 남아있을까
무엇을 떨쳐 보내야 할까

가을빛 고인 작은 웅덩이
거울 삼아 내려다보니

떨구어 보낼 잎새조차도
보이지 않는 여윈 모습에

가시 돋친 몸 바람결 따라
힘겹게 한번 털어내고선

겨우내 잠에 빠져버렸던
몹시도 가여운 너는

가시나무
한 그루였다

눈물샘

사랑에서 사람으로
변하기를 반복하고

그렇게 하나, 둘
또오, 똑

많이도 모았구나
너, 참 많이 슬퍼했구나

자, 이제 길을 내보자
물길을 내어 흘려 내보자

갈 길 없어 고여있던
애증의 눈물들을 보내어주자

빈틈

내 노트는
찢겨진 빈틈이있다

너를 써 내려갔던
열렬한 사랑의 흔적

너를 잊고자 했던
비정한 결심의 애통

그렇게 찢겨진 여러 이름의 빈틈
노트를 닫아도 끝끝내 나 여기 있다고
그렇게 말하고 있다

소국

봄꽃 가득
피어날 적에

향기 담뿍
머금은 바람

가득 안고
돌아온다던

그대 앞에
눈을 감고선

하얀 소국
내려놓아요

어쩌면

하늘색 바다 흰빛 거품 속
초록 너울 아래 사는 우리

각자의 자리에서 온 힘 다해
살아가는 지금이지만

그 옛날 너와 함께 보냈던
나날과 조금도 다름이 없으니

어쩌면 우린 매 순간 같이 있었던 걸까?

우리

내 손 잡은 너로 인해
온 세상 다 가진 듯 지껄여대고

눈 감으면 사라지는 너로 인해
홀로 남겨진 듯 괴로워하니

글을 쓰겠다

오만한 사랑은 옴폭한 그릇에
조심히 담아내어 참 어여쁘다
적어 놓을 것이고

고요한 침묵은 우짖는 파도에
무심히 흩어내고 퍽 아팠었노라
적어 버릴 것이다

나를 조금 지워내고
너를 조금 적어넣는

그렇게 우리라는 제목을
걸어 놓을 수만 있다면야

글을 쓰겠다
쓰고야 말 것이다

열병

토해내듯 너를 뱉고
배설하듯 글을 쓴다

이제껏 뜨겁게 타오르는 나는
사랑을 속삭이는 너의 모습에
참을 겨를 없이 이리 또 휘갈겨대고...

그래, 나는 분명 열병에 걸렸을 거야
이건 오로지 너로 인한 열병일 거야

당신의 발자욱

들불처럼 번졌던 초목 아래
풀벌레 소리 자라나던 곳

이제는 잿더미만이 뒤덮여
메마르고 거친 그곳

누구도 오지 않을 것 같던
그곳에 당신의 발자욱 내디뎌지자

하나둘 하얀 새싹 움트고
온 세상에 피어오른다

그렇게 사뭇 경쾌한 소리의
흰 꽃밭이 쌓여버리니...

당신 하나면
이렇게 되어버리고야 만다, 나는

벚꽃

영원의 사랑을 약속받고 싶은 나는
그 계절, 밝은 한 낮의 홍 빛 벚꽃이에요

하룻밤 비춰주는 수많은 이름의 달처럼 오시려거든
바다 저편 너머로 스치듯 저물어 가 주세요

달빛 한 줌으로 내가 꽃임을 알고 싶지 않으니
잴 수 없는 무게의 사랑을 가득 비춰주세요
홍 빛 가득 머금은 나를 피워줄게요

고백

당신을 사랑하고 있습니다
그렇게 있을 겁니다

태양과 달처럼
밀어내고 당기는 건
내 사랑이 아닙니다

나는 당신을 조용히 품고 있는 우주
이게 내 사랑입니다

시작 노트 ―✳

끝으로, 아직은 미숙하기만 한 제 시에 대한 이해를 조금이나마 돕기위해 시작 노트를 작성해두겠습니다. 다른분들의 시를 포함해 제 시를 읽어주신 모든 독자분들에게 진심으로 감사드립니다.

1. 가시나무

참 외로웠습니다.

부모님 없이 친형제도 어렵고 힘든 시기에
나이는 하나둘 먹어가고, 더는 주변 상황을 돌아볼 생각도 들지 않았습니다.

그래서 친구를 비롯해 내가 가진 몇 없는 것들을 두고
아무도 모르는 곳으로 떠나버릴까, 생각이 들던 찰나에
문득 거울을 통해 저 자신을 보니 애초부터 가진 것이라고는 무엇도 없다는 생각이 들어 ' 이 우울한 생각을 그만두려면 잠이나 자야겠다.'라고 생각하곤 잠을 청했던 경험으로 이 시를 써보았습니다.

2. 눈물샘

진심을 다한 연인과 헤어짐으로 인한 상실감에 대해 써보았습니다.

3. 빈틈

연인과 있었던 일, 하지 못했던 말을 일기 형식으로 적어두는 노트가 있습니다. 드문드문 적어왔던 노트이기에, 과거가 되어버린 옛 연인의 이야기도 있어 찢어버렸더니 노트가 어긋나게 닫힐 정도로 빈틈이 생긴 걸 보고 써봤습니다.

4. 소국

이 시는 진심으로 사랑하는 연인이 다시는 돌아오지 못하게 되었을 때 나는 어떤 모습으로 그 앞에 서 있을까, 에 대한 상상을 여인의 모습으로 대입해 작성해 본 시였습니다.

5. 어쩌면

어렸을 적 친했던 옛 친구에 대해 추억하며 써보았습니다.

6. 우리

부족한 저를 받아주었던 연인과 진심으로 사랑한 당시 제 생각을 토대로 써보았습니다.

7. 열병

처음 사랑에 빠지고 연인으로 발전했었던 그 때, 열정만 앞서고 어리숙했던 과거 저의 모습을 적어보았습니다.

8. 당신의 발자욱

스스로 단점만 가진 사람이라고 생각해 누구도 만날 수 없을 거라고 말하고 다녔던 저에게 다가와 주었던 사람을 만난 당시 상황에 대한 시입니다.

9. 벚꽃

어쩌면 가정환경이 좋지 못해 생겨난 단 하나의 꿈인 '함께 끝까지 가는 사람이 있으면 좋겠다'라는 것을 여인의 입장으로 적어보았습니다.

10. 고백

함께 끝까지 갈 수 있는 사람이 있다는 상상을 하며
그 사람에게 제 진심을 전하려면 어떻게 해야 할까, 라는
생각으로 작성해 보았습니다.

이제는 토하고 싶다

이필재

마음으로 그리는 그림 • 고백 • 이순耳順 • 에스컬레이터(escalator)

비타민-詩(c) • 감사 • 글귀 詩 • 대화 • 후회 • 편지

이필재 불혹을 넘기고 2개의 암으로 중환자실 죽음의 문턱에서 살아났습니다. 시 한편을 간절히 쓰고 싶습니다. 연세대학교를 졸업했고요.

이메일: lovpjes@naver.com

마음으로 그리는 그림

새 하늘에는
아름다운 푸른 별빛이
새 땅에는
눈 부시는 눈밭이
하얗게 쌓여 있습니다

누가 이 넓고 푸른 하늘에
포근한 대지 위에
아름답게 수놓았습니까

밝고 맑은 아름다운 날에
곱게 접은 순결한 백지 위에
고마운 사람에게
내 마음을 그려봅니다

나를 생각하며 기도하는 사람을 위하여
푸른 생각과 하얀 마음을 담아
아름답게 그리겠습니다

고백

보이나요
애타게 움직이는 내 몸짓
보이지 않나요
안타까운 내 마음

들리나요
애타는 목소리
사랑에 귀먹어
절규하는 부르짖음

맡으셨나요
사랑애 내음
그대의 체취를
다시금 맡아봅니다

맛보셨나요
달콤한 입맞춤
그대의 입술을 되새김으로
다시금 음미합니다

느끼셨나요
따뜻한 손길
그대 몸이 닿을 때
사랑하고 싶습니다

당신께 고백 합니다
사랑의 마음을 받으시고
내 마음에 꽃을 피우소서

이순耳順

이순耳順의 나이에
세상에 귀를 열어
삶의 뒤안길로 걸어본다

10대엔 꿈길에서
야망을 키웠고
20대엔 오솔길에서
사랑을 불태웠고
30대엔 꽃길에서
아름다운 가정을 꾸몄다
40대엔 갈림길에서
꿈을 접었고
50대엔 방황 길에서
삶을 헤매다
60까지 숨을
헐떡이며 달려왔다

죽음의 문턱에서
삶의 뒤안길을 돌아보며
마음에 걸려있는

고행 길을 내려놓았다.

이젠 천국 길을 바라보며
마음을 비우고 어린아이처럼
새롭게 아장아장 걸음으로
서두르지 않고 하루하루를
손꼽으며 천국을 우러러 보리라

에스컬레이터(escalator)

그대가 내 몸에 닿을 때
나는 움직입니다
그대의 힘들고 지친 몸을
내 몸에 올려놓으세요

내 맘을 내려놓습니다.
당신의 마음이 내 맘에 전해질 때
나는 당신에게 내려놓습니다
당신의 지치고 피곤한 마음을
이맘에 내려놓으세요

당신이 떠나고 난 자리에
난 조용히 내 몸을 접고
내 맘을 내려놓습니다

당신의 지친 몸과
힘든 마음에
편안한 친구가 되고
좋은 동무가 되고 싶습니다

훗날 내 몸과 마음이 고장 나서

움직일 수 없고

당신의 친구가 되지 못할 때에는

사랑의 징검다리로 기억하세요

비타민-詩(c)

내 詩가 네게 비타민이 되었으면 해

너에게 활력이 되었으면 좋겠어

힘들 때면 위로가 되고

쉼이 되는 詩가 되고 싶어

서투른 글 솜씨로

널 감동시키지는 못해도

작은 힘이 될 거야

험한 세상 잘못된 만남이

이어져 방황할 때

세상 짐을 지고 무거울 때

손쉽게 꺼내먹는 비타민 詩

늘 네 곁에서 함께 하는

편안한 친구로 남고 싶어

때로는 내 詩가

너에게 길이 되는

한 줄기 빛이 되고 싶어

감사

뱃속에서 신호가 온다

치고 나갈까
밀고 나갈까
힘을 주어도
마음만 나가지
좀처럼 나오지 않는다

건강할 때 몰랐던
작은 생리 현상도
이제는 커다란 장벽
평범한 걸음걸이도
힘든 장애물이다

그래도 고마운 것은
파란 가을 하늘 바라보고
희망을 꿈꾸며
살 수 있음에 감사하다

먹을 것 찾아 날아드는

저 비둘기 무리도
잠시 잠깐 살다간 매미도
내 만큼 기쁘게 살지 못하지

길섶에 풀잎이 고개를 끄덕인다

글귀 詩

말이
글귀로
익어 가며
시들을 낳네

펴고
또 펴도
솟아나는
詩샘이 되어

마음과
생기가
퍼져나가
사랑이 되네

시는
사랑애
글로 변해
사람들에게
웃음을 주네

마음과

희망을

키우면서

사랑을 이루네

대화

떨리며 다가오는 고요한 음성
저 멀리서 들려온다

고개를 돌려 쳐다보지만
아무 것도 보이지 않는다

내면 깊숙이
큰 울림이 있다
분명히 내게 말하는

점점 다가오는 음성은
내 마음을 접고
몸을 움직이게 한다

또 다른 내가
나에게 말하고
있었나보다

종종 나에게 들려오는
음성은 나를 돌아보는

나아갈 길을 알려준다

이순(耳順)이 된 지금
내가 나에게 주는 말은
순리에 따라 살라는 것이다

후회

당신을 향하여 귀 기울여 봅니다
당신을 향한 나의 귀 기울임에 나지막한 소리
가슴에 울려 퍼집니다

공허한 메아리가 아니고
가슴속으로 울려 퍼지는 곡조
내 마음에 적셔옵니다

당신을 향하여 모습을 그려봅니다.
가슴에 촉촉이 맺은 당신의 향기가
내 마음속을 가득 채우고 있습니다

작게나마 이어진 모습과
마음이 한데 어울려
하나임을 느낄 때 사랑임을 알았습니다

당신을 향하여 마음을 담아 봅니다.
당신의 담겨진 마음에
나의 모습을 살짝 입혀봅니다

이제 당신을 뺀 나는 하나일 수 없고
둘이 아님을 깨달았습니다
내 마음과 몸을 그대에게 맡기노니
당신의 사람으로 느끼게 하소서

그러나 지금 내 곁에 없습니다
이 좁은 마음을 좀 더 일찍 열지 못했고
이 작은 몸뚱이로 더 사랑하지 못했기에
떠난 후에야 후회하며 사랑을 고백합니다

편지

끝도 없는 길에서
마음을 연다는 것

발걸음을 옮기면서
사랑을 말하고
때로는 사랑하며 산다는 생각으로
마음을 열었습니다

한창 때는 나도 불타는 마음을 옮겼고
깊은 사랑을 했습니다

열병처럼 떠도는 꽃의 화염에 젖어
내 온몸을 던져
바람소리 떨리는 잔솔밭에서
또한 잠 없는 한 사람의 머리맡에서
한 밤 내내 당신을 만나는
좋은 꿈만 꾸었습니다

그러나 허공에 나의 심사를 전합니다
내 곁에 없어도

풍문처럼 떠도는 시를 읽고
처량한 마음을 보내어 몇 줄을 씁니다

당신의 고운 채취에 녹아
나를 가만히 누이고 있습니다

시작 노트 ─✳

詩는 사랑이라
시로 노래하고 시로 표현하는 사람은 사랑꾼이야
슬플 때에 노래가 나오고 아무 곳에서도 노래를 부르는
사람도 사랑꾼이야.
사랑을 잘 모르는 나도 사랑꾼이야
시를 사랑하기 때문이지

詩人은 샘이 마르지 않아야 합니다.
목마른 사슴이 샘물을 찾듯이 시린 마음으로 詩語를 찾으러 다니는 나그네가 되겠습니다.
덜 익은 재료로 글을 올렸고, 자재도 덜 채운 부실 공사로 집을 지은 것들을 무너뜨리고, 더 좋은 시를 짓겠습니다.

차 한잔할까요

주숙경

강물 • 숨겨진 언어(고목) • 궁금해! • 마음 1 • 마음 2

사유 • 미 산딸나무 • 말채나무 • 설악산 • 보고파요

주숙경

꽃을 가까이 한지 어언 40년이 넘어 이제는 정원을 가꾸고 품으며 글을 쓰는 여인이 되었습니다 쉼이 필요한 이들에게 마음의 위안이 되는 정원과 마음의 언어를 함께 나누는 삶이 되고 싶습니다.

이메일: hojang8917@gmail.com

강물

흐르는 너를
막을 순 없지만
풀뿌리 돌부리에
잠시 머물 때
꿈을 꾸어 본다.
너에게
머무는 꿈이
거품이 되어
사라질지라도

맑게 흐르는
너라서 좋고
꿈을 꿀 수 있는
순간이어서 좋았다고

숨겨진 언어(고목)

깊이 팬 저 상처를

보았는가?

스쳐 지나간 긴 시간을

돌릴 순 없겠지만

누군가의 말 한마디

손짓 하나로

깊은 상처가 되었구나

그 들을 꾸짖은 들

바뀔 순 없겠지만

시간은 너에게

푸른 이끼로 사랑을 주었구나.

3. 궁금해!

툇마루 끝자락에

보자기 하나

누가 가져왔을까?

둥그런 보자기 안에

봄, 여름, 가을, 겨울

사랑 가득 들었네

딸기, 수박, 사과, 군고구마!

내가 좋아하는 계절이

다 들어 있었구나!

마음 1

산허리에

뭉게뭉게 피어난

복스런 아가야

흰 구름 청순함으로

서성이지 말고

나에게 오렴

나도 너처럼 두둥실

바람 따라

가고 싶구나.

마음 2

안개 속
재 넘어
떨리는 마음 하나,

스르르 다가오는
몸짓에
가슴 쓸어 담고는

가녀린 가지 끝에 기대어
떨구는 이슬방울들

추운 겨울 오려는가
여미는 옷깃 안으로
이슬처럼 떨구는 외로움

시간여행

간다고 가는 것도 아니고

온다고 오는 것도 아니어라

흐르는 물은 내려갈 수 있는데

잎맥의 춤사위는 바람의 손길뿐

표피 위로 하나 둘

내미는 세월의 하얀 서리는

검은 머리 흰 머리 되어도

잊을 줄 모르네

미산 딸

나비가 날아와 가지에 앉은 듯
미풍에 춤추는 연분홍 꽃잎 들
떨어져 나간 그 자리에
붉은 열매 단풍잎 대신하고

색색의 차림으로 서풍에 흔드는
가을의 노래를
흥겨운 가락 되어
두둥실 풍향 타고 춤이나 추어봅시다

말채나무

하얀 꽃 떨어져

푸른 잎 노란 줄기

낙엽으로 가고 나니

앙상한 뼈만 남아

찬 공기 태양 빛에 빨개진 몸

어느새 겨울꽃이 되었네

설악산

조그만 문틈 사이

울음으로 답하네

안녕이라 말하듯

웅장한 몸통으로

웃음 짓는 너

잔잔한 눈빛에

큰 가슴 푸른 물결

하얀 날개 품어 들면

설악산 오르던 옛 추억

살포시

그리움과 하나 되네

보고파요

그리움이 쌓여
못다 한 나눔이
심장을 찌릅니다

잘못했던 날들이
빛바랜 사진 되어
꿈속에서라도
당신 모습 찾아봅니다

소리쳐 불러도
등 만 보이고 야속하게
사라져 버린 엄마!

베갯잇 눈물 자국
아침을 맞이할 때
쓰라린 심장보다
그리움이 더 큽니다

시작 노트 –✳

강물

하얀 거품을 보고 있노라면 흘러간 나의 삶이 떠오른다. 하고 싶은 건 많았지만 할 수 없었던 시간 들.. 그 기억을 잊을 수 있기에 난! 흐르는 물살이 좋다.

숨겨진 언어(고목)

일본 황실 정원 입구에 있던 고목을 보니 세월의 흐름과 병충해로 고통받았을 생각에 사람도 상대에게 악하게 하면 상처가 깊어 진다는 비유로 글을 쓰게 되었습니다

궁금해!

농사를 짓다 보니 4계절의 풍요로움과 행복이 주는 감사함을 표현해보고 싶었습니다.

마음 1

푸른 하늘에 떠 있는 구름을 보노라면 구름 위로 올라가 바람 부는 대로 흘러가고 픈 생각을 해 봅니다 동심으로 돌아가서 자유로운 개구쟁이가 되고 싶은.

마음 2

계절이 바뀌는 것은 두려움이고 설래임이기에 변화를 맞이하는 농촌의 마음을 표현 해 보았습니다.

시간여행

자연이나 인간에게서나 시간은 변화를 주고 거스를 수 없는 여행은 계속되어 삶과 죽음으로 이어집니다.
삶에서오는 회한입니다.

미산 딸

미 산딸나무의 꽃은 진분홍의 나비를 닮은 꽃이 예쁜 나무입니다. 나무의 미에 취하여 쓴 글입니다.

말채나무

온 세상이 하얀 눈으로 변해도 유독 혼자만 빨간 몸을 드러내는 아이! 겨울꽃으로 자신의 존재를 알려줍니다.

설악산

설악산의 웅장함은 아버지의 위엄과 같으나 늘 가서 봐도 그 모습은 푸근한 부모처럼 느껴지는 아버지의 산입니다.

보고파요

엄마에 대한 그리움은 세월이 흘러도 변하질 않습니다.

시간이 흐를수록 더욱 깊어 지는 것이 잘못 한 일들 같습니다.

꽃말은 변함없는 사랑이란다

소심한 작가 글마녀

문장 • 백합 • 그 해 겨울 • 그 해 여름 • 첫사랑 • 전하지 못한 마음

한 글자 • 널 사랑해 • 답장 • 삼켜야 하는 단어들

소심한
작가
글마녀

소심한 작가 글마녀는 믿거나 말거나 대구에서 태어난 나름 세련된 촌사람.
보이는 화려함과 다르게 많은 것들이 느리고 어리버리해도 하루하루 차곡차곡 잘 살아내고 있다.
그녀는 인생을 평범하게 살고 싶지만 늘 독특함으로 마무리 지으며 보통의 삶을 살고 싶지만 항상 표현이 서투른게 함정이다.
고되고 외로운 인생에서 언제나 단순하게 생각하고 단단하게 살고 싶었으나 우연히 단아하게 살아가고 있다.
그녀는 취미로 사랑하는 것들을 그림으로 그리고 떠오르는 생각들을 정리하기 위해 글을 쓰지만 언젠가 이 모든 것들이 의미있는 작품으로 남겨지길 소망한다.
누구나 하나쯤 잘 해낼 수 있는 쓸모가 있기 마련이니.

인스타그램: @witchs_written_words_

문장

당신의 문장이 되기 위해 수 많은 페이지를 써 내렸던 나는
어긋나버린 지난 날들에도 사랑이라는 이름표를 붙여
늘 그리움이란 꽃을 피웠지.

당신이라는 문장이 나의 일기장에 쏟아질 때마다 나는
현재진행형의 사랑임에도 불구하고 평행선이라는 안전선으로
늘 우리의 숲을 그렸지.

당신의 문장이 어김없이 꿈으로 피어 오르는 날이면
다시 사랑으로 당신의 문장들을 마음속 깊이 새겼지.

당신이라는 문장을,….
피할 수 없으므로 속절없이 맞아야만 했다,난.

백합

무수히 스쳐 갔을 연이 하늘에 닿아
한송이 꽃으로 피어내 한철 무더위 속에서도
그 고귀한 자태를 지켜 냈으니
한 평생 변함없는 사랑을 주겠다고
새하얀 향기 위에 평생 함께 하겠느냐고
수줍게 고백하는 백합.

생이 다하여 지더라도
다음 생에 같은 연으로 맺어져
또 다시 그윽하게 피워낼 수 있기를..

그 해 겨울

그 해 겨울, 너와 함께 첫눈을 맞았다.
뉴햄프셔에서의 사계절은 그대와의 설레임으로 속삭였고
대구라는 사랑의 계절을 스무해째 써내려 가고 있다.

감정들이 시간을 따라가지 못할 때가 많다.

시간이 빠르게 흐르는 걸까,
감정이 느리게 정리 되고 있는 걸까,
그때의 우리가 절실하게 그리운 날들이 찾아온다.
지금 내 곁의 모든 것들을 내려놓고
언제라도 다녀오고 싶은 그 시절, 그 해 겨울.

그 해 여름

결국 우리가 서로 없이 잘 살거란 걸 안다.

이젠 그저 그가 행복하길 바랄 뿐….

너를 만난 건 나에게 가장 큰 축복이었다고.

너를 만나 '백마탄 왕자님'을 선물 받았다고, 그 해 여름.

첫사랑

깨달음은 항상 두 걸음 늦게 옵니다.
마음이란 건 늘 너무 늦게 도착해서 더 슬프게만 느껴지는 건지도 모르겠습니다.
그럼에도 불구하고 그 모든 순간에 내 인생에 함께 해 줘서 진심으로 고맙다는 말을 꼭 전하고 싶습니다.

전하지 못한 마음

우리 조금 어렸었다면 지금 어땠었을까,
우리 같은 마음이라면 다시 되돌아 볼까.

우리 지금 이럴거라면 후회하진 않을까,
우리 정말 사랑했다면 지워낼 수 있을까.

한 글자

두꺼운 눈썹,

반달 같은 눈,

이등변 삼각형 같은 코,

키스하고 싶은 입술,

오른쪽으로 쓸어 넘긴 머리,

똑같은 높이의 양쪽 귀,

안기고 싶은 어깨,

같은 니트 티,

항상 나를 지켜주는 너의 심장소리

내가 가장 사랑한 한 글자, 너.

널 사랑해

사랑해

나는 몰랐어

사랑해

사랑해

나는 이제 알아

사랑해

널 사랑해

누구보다 널 사랑해

널 사랑해

답장

그 수많은 고백들을 늦게 알아봐서 미안해요

내 삶의 따뜻한 빛처럼 찾아와준 당신, 감사해요.

여전히 사랑합니다.

언제나 행복하세요.

삼켜야 하는 단어들

내 사람,

사랑,

너,

.

.

.

이번 생에 실패했지만
다음 생엔 꼭 만날 수 있길.

다음 생에 만난다면
다음 생엔 사랑만 가득하길.

다음부터는 꿈길이라도 처음부터 함께 한 길을 걷기를
이 마음 전할 수 없으므로 부디 삼켜낼 수 있기를.

그대에게 손을 내밀며...

이세원

그대의 마음 • 어느 봄 날 • 따뜻한 마음 • 파라다이스 • 노을이 예뻐
그대의 온도 • 춤 • 그대의 입술 • 내 마음 장미 꽃 한송이 • 거리에서

이세원

거친 세상도
그대와 함께 하면
내맘이 따뜻해져요

나에게 위로를 건네준
그대
힘든일 있으면 늘
나에게 기대요

그대도 날 좋아하게
될거예요
마음깊이 애잔하게
스며들 거예요

그대의 마음

어딘가 바라보는 그대의
반짝거리는 두눈
청명한 보석 같아

내 두손 위에 올려
한참을 바라보곤 해

슬픈 것 같은 그대의
까만 눈동자
무슨 마음일까 애써
읽어 보려해도 알 수 없는
그대의 속마음

가끔은 눈웃음 치며
누군가를 바라보는
그대와 마주하고 싶네

그대의 두눈 온전히
내 두손위에 올려
하루종일 함께 하고 싶어
그대 마음을 알고 싶네

어느 봄날

석양이 지던 저녁 무렵
많은 사람들이
그대를 만나려고 하나둘
앉아 있네

그대의 목소리가
내 귓가에 맴돌아
내 마음속 추억을
꺼내보던 밤

그대 얼굴 스쳐 지나가던 찰나
행복을 느끼고 조금만 더
그대 얼굴 바라보고 싶어
한번 돌아보던 그대 얼굴
붙잡고 싶지만 이제는 가야 할 시간

그대와 함께
이밤을 지새고 싶지만
난 아쉬움을 달래며
손을 흔들며 자리를 떠나가네

핑크빛 종이 하트가
하늘에서 내려오던 밤
내 두눈엔 반짝거리는
보석이 쏟아져 내렸지

따뜻한 마음

어둠 속에서
갈팡질팡 정신을 못차릴 때
그대는 나를 안아주었지

그대의 빛은 내 온몸을 비춘다
그 빛속으로 나도 모르게 빠져든다
어느새 따뜻한 햇살처럼
웃고 있네

따뜻하다 녹아든다
내 속에 그대를 품는다
그대의 입가에 미소
너무 아름답다 예쁘다

내 마음은 녹는다
따뜻하다 행복하다
젖는다 너의 모든 것에
빠져든다 이대로 시간이
멈췄으면 좋겠다

파라다이스

그대를 위해 입고 간 보라 원피스
그대가 좋아하는 츄러스
그대와 내가 있는 이곳은 파라다이스

그대의 환한 웃음은
반짝거리고
내 두볼은 빨간 사과같아

그대 길고 큰 두 손은
너무 예쁘고
내 입가엔 반달 웃음이 나

그대의 유머스런 농담도
하얀 웃음이 되어 흩어지고
그대의 사랑스런 웃음은
내 볼에 홍조를 띄게 해

노을이 예뻐

그댈 볼 생각에
마음이 들떠 있던 시간들

시간은 점점 어둠으로 기울어 가고
해는 뉘엿뉘엿 아래로 아래로 숨네
붉은 양떼 구름들이 어둠속에
조금씩 감춰지고
붉은 노을이 내마음을 비추면
마음이 너무 따뜻해져요

그대 얼굴 볼 생각에
설레이는 시간
그대의 노랫소리에
내 마음이 울리던 시간

내 기억속에 아름답게 지던
석양이 내 마음을 비추네
그대 맘속에도 예쁜 하늘이
스며들길…

그대의 온도

꽁꽁 언 손
내 손으로 꼭 잡아
온기를 주고 싶네

입으로 호호 불면
따뜻해질까
따뜻한 장작 난로 앞에
손대면 따뜻해질까

그대에게 따뜻한 보리차
한잔 끓여주고 싶네
그대 몸 녹여줄까
그대 목 녹여줄까

그대의 온도는 36.5도
그대의 마음은 365도
마음이 너무 뜨겁다
내 마음도 너무 뜨겁다
우리의 심장은 불타오르네

춤

밤이 꿈틀대듯
눈부신 웨이브

섹시한 멋
난 한송이 장미가 되어
그에게 향기를 준다

그대의 귀여운
장난 가득한 미소
나의 입가도 밝아지네

그대의 까슬거리는 목소리는
내 귓가에 맴돌고
그대의 웨이브는
날 미소짓게 하네

그대의 입술

너무 보고싶은 입술
그대 입술 쥐어 뜯으며
바라보네
그대 모습 바라보면 내 마음이
아파오네

적당히 도톰하고 분홍빛을 띄는
너무 사랑스런 입술
보고 싶어도 보고 싶어도
볼수 없네

그대 마음 다쳤을까
그대 슬픔 아팠을까
걱정스런 눈빛으로
바라보네

아프지 마라
아프지 마라
내 마음은 오직
그대 밖에 없어

내 마음 장미 꽃 한송이

내 마음 가득담아

그대에게 보내는

빨간 장미 꽃 한송이

그대 두눈 행복할까

웃고 있을까

무슨 생각 할까

나혼자 상상하다가

책상위에 놓여진

장미 꽃 향기를 맡는다

그대의 예쁜 마음처럼

내 마음 가득 담은

내 향기를 보낸다

거리에서

앙상한 가지나무
차가운 바람에 흔들리고
나는 지도를 보며
걷고 있었네

"빨리 타"
이 목소리에 돌아보네
내 옆엔 자동차 한 대
나에게 하는 얘기가 아니구나

그대의 발자국 따라
걷던 길
그대가 남긴 옷자락

나를 멀리서 바라보고 있었을
그대의 모습
뒤돌아 보며 놀란 나의 눈동자

보이지 않지만 분명 날 바라보고
있는 그대
내 입가엔 환한 미소만 가득하네

시작 노트 —✳

23년을 시로 마무리 할 수 있어서 너무 행복하다.

가수 성시경님과 소통하면서 느낀점들을 시로 표현해 보았다.

서투른 나의 표현들이지만 부디 그대의 마음에 닿기를…

풍경 열 모금

김민희

눈 • 가로등 • 시계 • 추 • 꽃비 • 별

그늘 • 조화 • 나루터 • 사선

김민희

1999년 경기도 안성에서 출생하여, 아주대학교 교육대학원에서 상담을 전공하고 있다. 구병모 소설가의 《아가미》(2018) 등을 통해 영감을 얻어 집필 활동을 시작하였고, 2022년부터 개인 블로그(작은 것을 나누는 공간)를 운영하며 글과 생각을 나누는 가치를 실현하고 있다. 2023년 시집 출판 프로젝트 12기에 참여하여 《따듯한 오후 시 한잔》에 작가로 참여하였다.

블로그: blog.naver.com/space_s_
이메일: dugkeks@naver.com

눈

시리도록 찬란한 흰 빛깔
찬 기운이 제법 촘촘히 끼인 창가에
자리한 것은

어느 과부의 눈물일지
어느 노인의 세월일지

제 뜻을 모른 채 얼어버리고는
아직 분내 어린 생명에게

새로운 하늘로 내렸다.

미처 다하지 못한 마음은
눈부신 태양으로 녹아질 터

서서히 쌓이는 하늘을 저벅이며
내 걸음에 닿는 것은

내가 보지 못해온 세상이자
티 없이 맑을 눈이다.

가로등

길가에 버티고 선 가로등
그 주위를 밝히는 몸짓으로

오가는 걸음을 붙잡으며
눈을 깜박여가며
남모를 외로움을 비추다가

무르게 짙어가는 바람과
발밑으로 잦아드는 거리에

못내 고개를 더 숙이고는
늘어져 깊어가는 밤을

그 얼마나

묵묵히 잡아 밝히던가.

시계

구름에 달 가듯
안녕히 머무는 도랑에는

그보다 더 작은 새근거림
그 옆으로 더 곧은 기둥이 있네

이제 막 잠이 깨려는 것 같아
너의 코앞에서 미소를 머금고

"조금 더 자도 괜찮아"
따스한 손이 닿는 순간이 있네

나는 괜히 또 설레는 마음으로
아직 흙 묻은 신발을 신고 나와

열두 동네를
걷다가 뛰다가-

추

쇳덩이.
애초에 다 올려두지 않았던 것을

다시 헤아리는 것으로
손해보지 않으려 메말라간다.

구태여
저울의 눈금을 읽지 않았던 것을

굴곡이 지는 미간으로
신뢰하지 못하여 바스러진다.

여기 하나의 녹슨 추는
누구의 것도 아니다.

서로의 몫을 계산하고
우리의 것을 의심하던

억(憶)의 부재였으며, 고독이었다.

꽃비

마른 가지의 굴레
뻗어난 잔생들은

저만치 많은 순간을 떠안았구나

허름한 여관에
그 얼마를 묻던 손님의 차림까지도

동여맨 보따리
다시 돌아오지 않을 순간까지도

아득히 먼 때를 기다렸구나

망설이며
그리운 향기를 지닌 채

지금,
가녀린 꽃이 떨어진다.

별

이들이 지나간 자리에는
저마다 아쉬운 듯
짧은 편지를 남깁니다.

달이 참 예쁘다고
바람이 제법 시리다고
저 하늘에 내 가슴에
작고 수줍은 울림을 이루고

떠가는 실오라기
혹은 별들입니다.

나는 그저
마지막 남은 한 마디 글귀를 읽지 못하고
매번 남겨보려 합니다

그들의 목소리를
누군가의 밤하늘을

이 별의 곁에 서서
읽고 또 읽어보렵니다.

그늘

뒷걸음으로
긴 여정의 끝에 머무는 나그네는

물 한 모금 마시지 못하고
헌 갓을 고쳐 쓰면서

마음껏 서글펐겠구나

조그마한 풀빛을 찾아
헤매는 것이 아니었어도

잠시도 쉬어가지 못한 채로
얻은 흠집에 고이던 열성(熱誠)

이렇게 붉은 날들이 번지며
홀로 힘겹게 나아가면서

흩어져 버린 것들이
저기에는 있을까 하고.

조화

싱그러운 숨결을 바라온 것은
영원히 만개할 것에 대한 두려움

허황되어 나고 그마저 무를 수 없기에
한 치의 진실조차 기대하지 않기를

네게 알리지 못한 진실들을
내 닙 틈에 감아줘고

수없는 아름다움
수많은 겉치레를 피웠다

속절없이 외로운 까닭에
밤낮없이 곧게 자라나서는

공허한 웃음 지어
지나는 발길을 잡아 세웠다

그 흔한 꽃 내음 우러러
저버린 것은

내가
쉬이 물들어갈 까닭이다
쉬이 잊혀지기 위한 까닭이다

나루터

물가에서
작은 배의 옆 부분에 새살이 돋고 있었다.

파도가 소리를 잃고 몸을 누이면
그 참에 성큼 떠나는 용기를 가질 것이다.

배의 겉과 안은 낡은 추억도 없이
뒤척이며 계속 지나가야 할 낮과 밤이다.

찰랑.
드나드는 얼굴은 반길 것이 아니었으며
오히려 밖으로 떠밀어야 할 것이다.

물가에서
작은 배의 옆 부분의 새살을 매만지고 있었다.

이제 잠시
이곳에 안개가 이를 것이다.

머문 찰나에 상처를 기억하며
수줍고 아름다운 오늘을 닮은.

사선

무수히 내리기를
섞이지 못할 웃음에는

사리며 내리기를
기억이 있는 슬픔에는

조용히 내리기를
움츠린 작은 어깨에는

곧게 그렇게
빗발쳐 내리기를

잊지 않고
놓아둔 다른 곳들에는

비스듬히 찾아와
함께 있어주기를

시작 노트 ─✳

문득 떠오르는 장면을 이끌리는 대로 적어가며,
보고 들을 수 있는 행운을 표현하는 지금이 좋습니다.

만남, 고독, 공허, 희망, 사랑, 이별의 감정을 넘나들며
계절을 빌려보기도 하고, 사물을 빌려보기도 했습니다.

주관적인 감상을 풀어내는 것이 여전히 두렵지만,
그렇게 살아있음을 더듬어보는 기회가 되기에 소중합니다.

누구나 마음껏 뒤집어볼 수 있는 시의 공간에서,
삶의 방향을 찾아가는 여정을 지속하고 싶습니다.

각자의 경험과 느낌을 담아볼 수 있는 열린 문장을 쓰기 위해
여러 인연을 만난 시간들, 그 마무리가 뿌듯합니다.

이 목넘김을 함께해 주셔서 감사합니다.

따뜻한 오후 시 한잔

발행 2024년 3월 5일
지은이 이지영, 문효진, 이구, 정명진, 곽윤, 이필재, 주숙경,
소심한 작가 글마녀, 이세원, 김민희
라이팅리더 차유오
펴낸이 정원우
펴낸곳 글ego
출판등록 2019.06.21 (제2019-000227호)
주소 서울특별시 강남구 강남대로 118길 24 3층
이메일 writing4ego@gmail.com
홈페이지 http://egowriting.com
인스타그램 @egowriting

ISBN 979-11-6666-461-8